ALFABETO BRAILLE

A	B	C	D	E	F	G	H	I
J	K	L	M	N	Ñ	O	P	Q
R	S	T	U	V	W	X	Y	Z

ALFABETO EN MINÚSCULAS

a	b	c / ch	d	e	f	g	h	i
j	k	l / ll	m	n	ñ	o	p	q
r	s	t	u	v	w	x	y	z

COMUNICACIÓN

ALIKI

Traducción: Concepción Zendrera

EDITORIAL JUVENTUD, BARCELONA

Título original: COMMUNICATION
© 1993 by Aliki Brandenberg
© de la traducción española:
EDITORIAL JUVENTUD, 1995
Provenza, 101 - 08029 Barcelona
Traducción de Concepción Zendrera
Primera edición, 1995
Depósito Legal: B. 26.628-1995
ISBN 84-261-2940-4
Núm. de edición de E. J.: 9.205
Impreso en España - Printed in Spain
I. G. Quatricomia, S. A. c/ Pintor Vila Cinca, nave nº 4 - 08213 Polinyà (Barcelona)

COMUNICACIÓN

Comunicarse es intercambiar conocimientos.

Es explicar novedades.

Es expresar sentimientos...

y ser comprendido.

HACEN FALTA DOS PARA COMUNICARSE

Uno para decirlo.

Uno para escucharlo...

... y contestar.

Los dos estaréis contentos de haberlo hecho.

NOS COMUNICAMOS MEDIANTE EL LENGUAJE

Decimos palabras.

Escuchamos palabras.

Escribimos palabras.

Leemos palabras.

Todos necesitamos expresarnos.

Es verdad.

PERO...

HAY OTRAS MANERAS

Antes de que los hombres primitivos
aprendieran a escribir,
se comunicaban con dibujos.

También ahora usamos
dibujos y símbolos
para comunicarnos.

Podemos comunicarnos sin palabras.

Tocamos, abrazamos y besamos. Aplaudimos.

Pataleamos, empujamos, tiramos,
pegamos y damos patadas.

Si no podemos
hablar la lengua
de otro, usamos el
lenguaje del cuerpo.

 Los artistas se comunican con pinturas, las bailarines con danzas,

los músicos con música,  los escritores y poetas con palabras.

Otros medios de
comunicación:

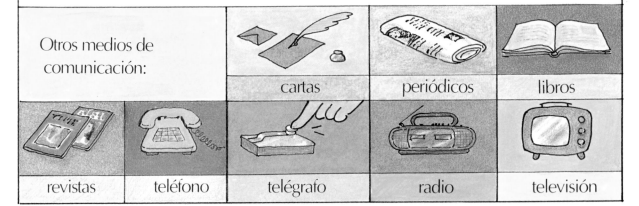

| | cartas | periódicos | libros |
| revistas | teléfono | telégrafo | radio | televisión |

REÍR y LLORAR son maneras de comunicarse.

Sean cuales sean las razones, la gente entiende el porqué del reír y del llorar.

Las personas sordas se comunican con signos y leen en los labios.

Las personas ciegas
leen con sus dedos
en el sistema Braille.

LOS ANIMALES TAMBIÉN SE COMUNICAN

*¡ Tengo hambre!

*¡ Bienvenido a casa !

*¡ No te acerques tanto !

*¡ Qué divertido !

LAS PERSONAS SON
LAS QUE MÁS SE COMUNICAN

Y todos necesitamos a alguien con quien hablar.

DIME

¡Anda, Juanito, cuéntaselo todo!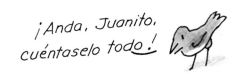

Pero, Juanito, tienes que hablar de eso.

Si no lo haces, ¿sabes lo que puede pasar?

Tendrás dolor de cabeza y dolor de estómago. ¡No podrás pensar en otra cosa!

Entonces crecerá y crecerá aunque no quieras. Se hará más grande de lo que es.

Si no quieres comunicarlo, te causará dolor y tristeza, y harás sufrir a los que te rodean.

Será causa de malentendidos y enfados.

¡Reprimirás tus emociones!

¡ASÍ ES COMO EMPIEZAN LAS GUERRAS!

TÚ ME LO HAS PREGUNTADO

Dime, Juanito. Nosotros no queremos guerra, ¿verdad?

Bueno...

Recuerdas cuando, la semana pasada, el profesor nos preguntó quién fue el primer presidente de los Estados Unidos...

Yo sabía la respuesta y levanté la mano.

¡Y TÚ gritaste GEORGE WASHINGTON!

Y el profesor dijo "Muy bien, Dani". Y tú no habías levantado la mano. POR ESO estoy tan enfadado.

¡Oh, lo siento mucho. No lo sabía.

Bien, ahora ya lo sabes. Ahora que lo he dicho me siento mejor.

¿Volvemos a ser amigos?

Sí, si me prometes levantar la mano.

Lo prometo.

¿A que no sabes quién fue el decimosexto presidente de los Estados Unidos? ¡Levanta la mano!

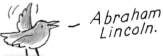

– Abraham Lincoln.

HAY COSAS FÁCILES DE COMUNICAR

¡Hola, abuelita! ¿Sabes qué ha pasado hoy en la escuela? Nuestro conejito Nikki se ha escapado y nadie sabe dónde está...

A la abuelita debe de gustarle saber de Nikki, también.

ALGUNAS COSAS SON DIFÍCILES DE DECIR

PERO CUANDO LAS HAS DICHO TE SIENTES MEJOR

Los SENTIMIENTOS son difíciles de comunicar.

MI DIARIO

A veces, cuando siento algo, me es difícil
explicárselo a otras personas.
Por eso me lo explico a mí misma.
Lo escribo en mi diario.
Me sirve para entender lo que me preocupa.

Después me encuentro mejor.
Escribir aclara las cosas y resulta más fácil
explicárselas a los demás.
A veces sólo con escribirlos,
los problemas se van.

Pero mi diario también es para anotar noticias y cosas
divertidas y para acordarme de ellas.

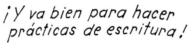 ¡Y va bien para hacer
prácticas de escritura!

¿SABES ESCUCHAR?

Mala comunicación.

RESPUESTAS

¡Contesta, por favor!

¿Has leído _La isla del tesoro?_ ¡Es un gran libro, pero da mucho miedo! ¡QUINCE HOMBRES EN EL COFRE DE UN MUERTO, JO JO JO, Y UNA BOTELLA DE RON! ¡GLUPS!

¿Recuerdas cuando Jim Hawkins se esconde de Long John Silver en el barril de las manzanas? Tuve que taparme la cabeza con la sábana. ¡Qué miedo!

Pero si quieres R E Í R... ¿Has leído _Pippa Mediaslargas?_ ¿Te acuerdas de lo que hacía en la calle?

¿Y todas sus aventuras en la escuela?... ¡Ja, ja!

Los libros son bonitos, y también es divertido poder comentarlos.

Ah, por cierto, la semana próxima iremos de excursión a ver una cascada. Ya te contaré.

Todo el mundo necesita una respuesta.

GRACIAS POR DECÍRMELO

AMIGOS POR CARTA

SIEMPRE HAY UNA FORMA DE COMUNICARSE

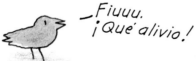

Comunicarse es dejar que los demás también digan cosas...

(aunque te creas fascinante).

A veces un libro te puede comunicar
tus sentimientos.

SI NO TE COMUNICAS, NUNCA LO SABRÁS

RAQUEL LAS CANTA CLARAS

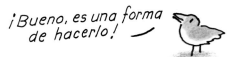

FELICIDADES

¿LO HAS OÍDO?

Carolina, la hermana de Cati, se cayó de la bici y se torció la muñeca.

...Cati y Carolina iban demasiado de prisa y Carolina se cayó y se rompió el brazo.

¡Alguien empujó a Cati de la bici y la pobre se rompió el brazo y la pierna!

¡Las hermanas de Alberto, Carolina y Cati, han sufrido un accidente terrible!

...y Alberto y su hermano Matías las fueron a ver al hospital...

...resulta que las atropelló un coche...

¿Conoces a Matías? Pues su hermano y sus hermanas están en el hospital...

...¡y las cuatro bicis salieron volando por el aire!

Eso no es lo que me han dicho.

¡Si lo dices, al menos dilo bien!

Y ahora os cantaré una canción,
después explicaré un cuento y recitaré una poesía,
luego os anunciaré las últimas novedades,
y al final contestaré vuestras preguntas...
y...eh, ¿dónde estáis?
¿Dónde está la gente?
¡Para hacer todo esto, necesito a alguien!

COMUNICACIÓN

es la base de decir,
escuchar y contestar.
Así sabes que no estás solo.

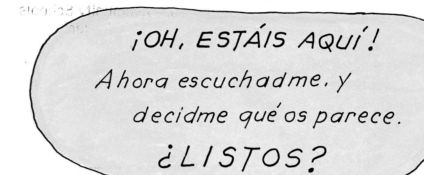

Aliki

COMUNICACIÓN

Editorial Juventud, 1995

ACC

(BOOK TITLE)

DATE DUE

ALFABETO EN MAYÚSCULAS

A	B	C / CH	D	E	F	G	H	I
J	K	L / LL	M	N	Ñ	O	P	Q
R	S	T	U	V	W	X	Y	Z

ALFABETO EN SIGNOS

A	B	C	CH	D	E	F	G	H
I	J	K	L/LL	M	N/Ñ	O	P	Q
R	S	T	U	V	W	X	Y	Z